KB103937

지혜 말인가

애인(愛人) [개정판]

지혜 말인가

애인(愛人) [개정판]

정태주 지음

독백시리즈 02

저자의 말

미란 무엇인가
그저 눈 코 입이 잘 배합된 것이
미의 본질이라고 할 수 있을까

'미란 무엇인가'
미의 본질을 향한 끝없는 사색
그 답을 향한 여정

이것은 나에게 주어진
정언명령이었다

1부　　개화

2부   군화

3부   고화

4부　　낙화

5부   연화

1부 개화

오늘의 꽃을 피우다

나무의 중용

가지는 흔들려도
기둥은 흔들리지 않는다

가지는 요동쳐도
기둥은 곧게 서있다

기둥의 뿌리가 내면에
굳건하게 지탱하고 있는데

어떠한 것에 혹하겠는가

이 말은 지천명이자
나를 살리는 말이다

내면 속에 각인하라

가지는 흔들려도
기둥은 흔들리지 않는다

내가 해야 할 것은

내면을
직면하는 것

씹고 뜯고 맛보고
음미하는 것

그러하다
그게 최선이었다

달리기의 미학

햇빛 받은 아름다운 날

내가 좋아하는 바람막이를
걸치고 달려 보았다

끊임없이 윤회하는
자연 속에 직면한다

자연의 흐름을
직관하며 달린다

바람막이 안에 맺힌 땀방울이
너무나도 상쾌하구나

눈앞이 명관이다

눈앞이 명관이다

휘황찬란하게 펼쳐진 눈앞의 풍경
잠시 머물다 갈 한 순간의 예술

푸드덕 날아다니는 소리가
나를 반긴다

너도 이곳에 놀러 왔구나
나도 그렇단다

네가 푸른 배경을 발판 삼아 날듯이
나도 오늘 하루를 꽃 피운단다

잘 살아내는가

삶은 살아가는 것이 아니라
'인 의 예 지'를 바탕으로
살아내는 것이다

오늘 하루
'살만 하다'하고 느꼈으면
잘 산 것이다

현재
당신은 잘 살아내는가

아이스 비엔나

고양이를 떠올리게 하는 너란 녀석
그저 예쁘장 하구나

난 네가 귀여운데
너는 스스로가 도도하다고 말하는 듯
나를 유혹하는 구나

너의 위를 감싸는 크림이 나에게
끼를 부리고 있었고

너의 본질은 그러한 애교를
숨기려는 듯 하였다

그러하다

그저 존재 자체로 사랑스러운데
너는 나에게 고양이로구나

자연과 합일

나는 시간 흘러가는 대로 살지 않겠노라

'시간이 알아서 해결해주겠지'하는
나태한 마음으로 살지 않겠노라

자연에 나를 맞추겠다

나의 에고가
오늘의 꽃을 잘 피워내도록
자연 앞에 마주 선다

그리고
나와 자연이 합일된다

오늘 하루도 잘 피워냈다

이제 시들 때가 되었구나

내일의 꽃을 준비하자

사랑한다

너를

무상의 긍정

세상 만물 무상

그러니
나의 본질에 집중하라

인간은
본인의 꽃을 피울 수 있다

그건 인류에게 주어진 특권이자
긍정의 이기심이다

그러하기에

나만의 꽃을
자연과 합일하여 피워내라

이치에 입각한 이기심이라면
그러함을 긍정하라

자유란 무엇인가

자유란 무엇인가

삶에서의 자유란
스스로의 준칙에 따른 여정을
묵묵히 걸어갈 때

조금씩이나마 떨어지는 과실이다

그러한 과실을 삶의 미덕으로 삼아
삶의 종착점에 다다랐을 때

완전한 자유와
합일되는 결실을 맺는다

비둘기

비둘기

비둘기가 악한 것인가
우리가 악하게 만든 것인가

한때의 평화의 상징이
어느 순간 경멸의 대상이
되어버렸구나

그 시절의 비둘기와 지금의 비둘기는
본질이 다르다고 할 수 있는가

나도 달리는데
너희들도 날아가는구나

너희도 날아가는데
내가 못 달리겠느냐

오늘 하루도 꽃 피워 보겠노라

하늘아

하늘이 아름다워서
잠깐 멈추었다

너의 예쁨에
잠시 매료 돼보았다

하늘아

눈앞에 펼쳐진
광활한 풍경 속에
수영하도록 하겠다

그래도 되겠는가

나는 그러한가

오늘의 하루에
충실하였는가

하루의 꽃이 피고 짐을
여여히 바라보았는가

내일의 꽃을
준비할 준비가 되었는가

나는 그러한가

연주대를 품고 연주하다

관악산 연주대

오늘의 나는 걷는다
산 길을 따라 한걸음씩
발을 내딛는다

이름에 '악'이 들어간 만큼
길에 돌이 많구나

그 돌을 사뿐히 지르밟아
나는 내 갈 길을 가련다

오르고 올라가는 길에
나와 같은 길을 걷는 사람
그 길을 갔다 온 사람과 마주친다

내가 걷는 여정을
얼마나 수많은 자들이 오고 갔을까

그러한 '오고 감'을 자각하여
나도 함 음미해 보았다

감미로운 여정 속에
연주대가 나를 반기는구나

낙엽의 약속

낙엽

낙엽이 떨어진다
올해의 가을은 끝났다는 듯이
우수수 떨어진다

바닥의 유혹에 못이기는 척
낙엽은 그대와 입맞춤한다

이로서
올해의 가을은
내년을 약속한다

말(語)은

말(馬)과 같아서

늘 내면 속에 요동하는 희로애락을

다스리고 또 다스려 정제해야 할지어다

그러하지 아니한가

2부 군화

오늘의 꽃이 군집하다

타인에게 잘 한다는 것은 무엇인가

내가 당해서 싫은 것을
타인에게 전가하지 않는 것

그것이 곧 서(恕)이며

행함이 있을 때 충(忠)이로다

흑백, 동전의 양면

어둠을 어둠이라 할 수 없고
밝음을 밝음이라 할 수 없다

그러하다

나는 그리 바라볼 수 없다

사고가 사건으로

나에게 일어난

원하지 않은 사고가
일으키는 내면의 파장을

삶의 생멸 과정에서
긍지로 승화시켜라

그러한 강인한 의지가
지속되도록 수양하라

나에게 주어진 삶 속에서
나는 수양자다

초인으로 우뚝 서서
뒤를 돌아보는 순간

사고는 사건으로 변환된다

그 시점이 오기 전까지
묵묵히 나아가라

나는 오늘 하루를 충실히 보냈는가

자연 만물의 이치에 합일하였는가

그 순간을 만끽하였는가

순간 순간의 고양됨을
행복의 자산으로 누렸는가

헤이즐넛 라떼

헤이즐넛 라떼

한 모금 마셔본다

너를
나의 입에 맞춰보았다

오늘의 너도
어제와 같이 부드럽구나

그러한

너의
한결같음이

꾸준한 기질이

나에게 내일을 약속한다
이건 천명 이었다

빗방울

눈앞에
빗방울이 울고 있다

차분하게
각자의 속도와 리듬감으로
춤을 춘다

균형이라고는 찾아볼 수 없는
그대의 자유로움이 아름답다

아, 그렇구나

나에게 보였던 너의 울음이

너에겐 유일무이한
자긍심 이었구나

찰나의 순간이

사건이 될 것인가

사고가 될 것인가

오로지

지금 너의 선택에 달려있다

그러하지 아니한가

경(敬)에 안착(安着)하여

학문(學問)이 하라면 하고
하지 마라 하면 안 하겠소

끊임없이 문(問)을 다하면
학(學)이 터진다는 것이 이러함이었는가

그저

성리(性理)의 광명(光明)함만을 따르리오

그러함을 바라고 바라노라

그대들과 같은 길을 걷겠노라
이는 자연만물에게 하는 약속이다

그대들이 자신만의 용어로 본질의 결을
풀어냈듯이

나도 나만의 색채로
그대들과 같은 길을 걷겠노라

나의 길을 사랑하겠다

그대들이 알려주었듯이
무소의 뿔처럼 묵묵히 나아가겠노라

지우개

지우개,
너란 녀석

글을 쓰고 지우듯이
그림을 그리고 지우듯이

슥슥

인생이라는 도화지에
펼쳐진 탁함도

지워주면 안되느냐

슥슥

삶은 본래 고독한 것이다
고독은 긍정도 부정도 포함하지 않는다

그저 고독으로 존재할 뿐

이 사실을 받아들이지 못한 채
직면하려 하지 않고 회피하고 덮어두면

썩어 문드러져

스스로를 좀먹게 된다

본래 그 자체인
고독을 여여히 즐길 줄 아는 자가

'삶을 이해하려는 자'이다

매 순간 미를 발견할 때
미는 나에게 도를 알려주었다

오늘 하루 푹 쉬었다

푹 쉬다가는 날도 인생에서
유의미한 하루이니

쉴 때 푹 쉬어라

내 선택을 이해 하라

다 널 위해서였으니

모든게 차선이어도
너에게만큼은 최선이었다

너에게

이보다 더 괴로움으로
변할 세상에서

그러한 세상에서

연꽃처럼 피어나라는
사랑으로 포장한

이기적 욕망은 품기 싫었으니

이 길은 내가 마지막이다

고독을 찬미하라
네가 그 고독을 선택하라

고독 속에서 춤을 추며
세상 앞에서 당당히 주창하라

사랑(仁)하라 그저 사랑(仁)하여라

지혜로운 자만이 사랑(仁)이라는
험난한 길을 걸어갈 수 있으니

네가 바로 그 길을 선택하라

오늘 하루도 생멸하구나
내가 마주한 너는 하염없이 예뻤다

예뻐서 예쁜게 아니라
예뻐서 예쁜걸 보았을 뿐이다

그러하다
삶은 그뿐이었다

그러하다
축복이었다

모든 이들이
철학을 등돌릴 때

너에게 내밀었던 손은
이렇게 환희로 돌아오지 않았는가

긍지가 사라지지 않구나

이건
사랑이로다

블랙 햅쌀 고봉 라떼

넘칠 듯 말듯
중도를 지키는 너라는 녀석
따듯하도다

너라는 존재가
나를 위로 하였고

너와 내가
입을 맞추었을 때는
참으로 고소하여 사랑스럽구나

위에 걸터앉은 흑미 튀밥도
식감이 이 얼마나 재미나던지

너란 녀석
장난 끼가 많은 듯 싶었다

덕분에 이 순간만큼은 사랑이었다

'아 아'를 곁들인
한 유로운 삶

오늘 따라 날씨가 좋구나

내가 여여하니
날씨도 나를 사랑해주는구나

날씨와 함께 '너'란 커피가
나를 반겨주는데

이 어찌 부드럽지 않겠는가

아름다운 음악과 아름다운 공간
아름다운 너

그리고

그 모든 것을
바라보는

너

사랑의 섹스

섹스란
감미로우면서도
정열적이다

서로
다른 삶을 살아온
두 이성이

서로
다른 신체를 보며
아름다움을 느끼고

서로의 살결을
어루만진다

서로에게
사랑을 속삭이며
하나로 귀결된다

하나로 귀결되는 과정 속에서
길고 길었던 고독의 여정이
종말 된 것 같은 환희 속에서
춤을 춘다

나의 눈 앞에서
아름다운 눈으로 바라보는
그대의 마음속으로
들어갔다 나온다

그 이후

그대의 눈
그대의 목소리
그대의 살결

그저
당신

그린 티

아름다운 노랫소리와 함께
결들여지는 사람들의 대화소리

노랫소리가 오른손 건반연주라면
그들의 대화소리는 왼손 건반연주였다

내게 보이는 표상에는
다시 비가 흐르는구나

시선을 위로 두면
너희들도 부지런히 움직이는구나

우산이 없는데 어찌할까
그런 고민 잠시 접어두고
너를 입술에 지그시 갖다 댄다

깊게 우러난 너를 보며 부러움을 느낀단다
네가 존재를 고양시킨 것처럼
나도 너와 같이 할 수 있을까

너를 향한 사랑이
너처럼

돌체 스트로베리 라떼

오늘의 나는
최고로 여여하구나

호흡의
들숨 날숨 길이를
맞춰본다

앞으로 나와 함께할
우드한 느낌의 샤프와
올리브 빛깔의 필통

그리고

너

너와 내가 만나는 순간
나는 내 안에 광명을
발견하였단다

크림은 나에게
정도를 지나치지 않은
부드러운 점도로

딸기의 향을 머금은 달콤함을
선사하였으며

입안에 여운이 남은
딸기와 크림의 조화

그 순간이
계속해서 지속됐으면
하며 바라였단다

어찌 이리 사랑스러울 수 있는가

나의 영혼이 너와 합일 되었고
너의 매력에 퐁 잠겨버렸구나

단조로울 수 있던 일상에
달콤함을 선사한 너

돌체 스트로베리 라떼

너를 곁에 둔 그 순간은

사랑,
사랑이었다

낭만

낭만

인간은 죽어서 후세를 남기고
재산을 남기지만

철학가는 글을 남긴다

앞 세대가 그러하였듯이
후세의 철학가들을 위하여

글을 남긴다

곁에 있는 강물도
유동하고 있는데

내가 어찌 몸과 마음을
바로 하지 않겠는가

네가 그러하듯이
나도 그러하겠노라

평상심

헛된 망상 잡념
모두 단칼에 베어버려라

스스로
수양을 놓지 않는 이유는

내 마음의 헛된 생각을
베어버리기 위해서다

마음의 검은
언제나 곁에 있었다

다시
평상심을 유지하라

슬퍼도
너무 슬퍼하지 않고

기뻐도
너무 기뻐하지 않고

분노해도
너무 분노하지 않고

사랑해도
사랑에 빠지지 않을 뿐

그저 여여함을 유지할 뿐

내 삶은
그러하였다

호연지기

오늘 하루도
호연지기의 눈으로

세상을
바라보았는가

자연만물이
그러하듯이

꽃의 생멸을

충실히
바라보았는가

나 자신이

하루 세 번 성찰한 건

그뿐이었다

그것이

너의 사랑이요
나의 사랑이니

인의예지를 중심에 두고
희로애락을 펼쳐야 할 따름인데

희로애락에 매몰되고
인의예지로 돌아가니
어찌 괴롭지 않겠는가

어째서

그들은 이러한 이치를
외면하여 버리는가

이러한 현실에

나 자신은 묵묵히
오늘의 꽃을 고양시키노라

네가 사랑하고
내가 사랑하니

에고가 당신을 집어삼켰기에
함께가 지옥이 되어버린 세상

현실을 자각하여

그저
묵묵히 수양할 뿐

'무'를 주관할 뿐

3부 고화

오늘의 꽃이 시들어가다

차분히
페르메르의 '진주 귀걸이를 한 소녀'
작품을 완성하였다

환상적인 하루였다

피아노 소리가 아름답게
내면을 적셔주었고

희로애락이
크게 요동치지 않은 여여함의 하루

이는 사랑이었다

'내 생에 마지막 날도
이와 같은 하루였으면'

작품을 바라보며
사랑에 잠겨본다

삶은 매 순간의 '지금'이다

이 순간 펼쳐진 상황 속에
네가 내리는 선택의 연속이

오늘의 너를 규정하고

오늘 너의 매 순간 반복이
너의 인생이다

주어진 상황 속에
합리적 선택을 내리는
처세를 보유하라

그것이
너를 평안으로 가도록
할 것이로다

'미'는 울부짖지 않는다

'미'는 요동치지 않으며
한없이 고요하다

'미'는 사랑스럽다

'미'로서 관조할 때
그 여여함을 사랑하였을 뿐

그러하였음을

하천에 돌담을 건너듯이
차분하며 신중히 살아가라

생 과 사 사이에 흐르는
무상한 하천을
아래에 두고

돌담이라는
삶의 길을

순리대로
차분하게 나아가라

그러다보면
돌담은 다 지나가있다

표상의 차원에서 사람은
각기 다른 양상을 띠기에
타인을 의식할 것도 거론할 것도 없다

나의 길을 묵묵히 걸어갈 뿐

조급해 할 것도 서두를 것도 없다
차분하게 한 걸음씩 나아가면 된다

그 작은 한걸음의 꾸준함이
'나'를 규정한다

지금

'나'를 뒤흔드는
감정의 폭풍우도

결국에는 잠잠해진다

그저 침묵하라

감정에 휘어 잡혀
감정의 노예가 되어

실언을 발설하지 마라

네가 슬퍼하고
내가 슬퍼하니

차분한 걸음으로
묵묵히 나아가라

무소의 뿔이 그러하듯이
네 자신도 그러하여라

한 평생
배워가겠노라

꾸준함으로 무장하여
내가 이루고자 하는
'원'을 구현하겠노라

그러한 의지로
오늘의 생멸을 바라보노라

내가 오늘도 배우려는 이유는
스스로 부족함을 느끼기 때문이다

춘하추동, 지수화풍의 흐름으로
인의예지를 경영하는데

스스로
부족함을 느끼기 때문이다

그러하기에
오늘의 '나'는 수양을
멈추지 않았다

'미'를 주관하라

우리가 살아가는

지 수 화 풍
춘 하 추 동 의 흐름

이에 따라
자연이 알려주는 본질
인 의 예 지

결국 '무'로 귀결되었고
'미'에 합일되는구나

작은 행동 하나 하나
꾸준히 해나가라

퍼즐 조각 맞춰나가듯이

순리대로
차근 차근 정진하라

차분히 묵상한 채
고요함으로 무장하여

오늘의 꽃을 피워가라

오늘의 꽃이 떨어질 때

나는 하천을 곁에 두고
그림을 바라보았다

귀에 들려오는 건반의 선율과
함께 녹아 들었다

오른쪽 곁에 있는 달은
너무나 청정하여 나를 반겨주었고
하늘 바람은 따듯하였다

이것은
오늘의 '나' 였다

말차 프라푸치노

종이 빨대에
입을 맞춰보려다가

수줍게 들이내민 휘핑크림이
내 눈에 들어오는구나

장난 삼아
크림을 빨대로 휘적거려본다

크림은 너에게 스며들었고
네가 크림과 합일되었을 때

지그시 너에게 입맞춤 해본다

한 모금,

나의 혀에
너를 안착시켰다

그 순간

부드러움을 머금은
말차의 향은 사랑이었다

여여함으로 무장된
최고의 순간을

나에게 선사하였다

이건
사랑이었다

미인이란 무엇인가

미인이란 무엇인가

여여함을 최고로 두는 자

인의예지로
희로애락을 경영하는 자

자연의 흐름에 순응하는 자

'미'에 덧칠하지 않는 자

그러한 자

사람이라면

누구나

'미'를 추구하고자 하는
욕구가 있기 마련이다

허나

'미'를 무엇이라 규정짓는 지에 따라
개개인의 삶이 판이하게 달라지고

삶의 판도가 달라지는 듯 하다

적어도 나의 표상에서는
그러하게 드러나는 구나

눈이 내리는구나

눈이 내렸다
함박눈이 아름다웠다

눈앞에 펼쳐진
눈 내리는 그러한 광경이
아름다웠다

눈이 와서 좋고

그저
너라서 좋았다

지혜 말인가

지혜 말인가

좋음을 좋음으로 두는 것이
지혜 말인가

'미'를 '미'로 바라보는 것이
지혜 말인가

그 자체로 완전함을 누리는 것이
지혜 말인가

자연아, 네가 말하듯이
순리대로 흘러감이 지혜 라는 말인가

그러하구나

그저 지금 이순간이

지혜 말인가

'미'는 네 안에 있었다

'미'는 네 안에 있었다
미인만이 미인을 바라볼 수 있단다

미인을 흉내 내려 하지 말고
미인이 되어라

'미'라서 '미'인 것이니
'미'에 '미'를 덧붙이지 말거라

'미'는 네 안에 있었고
시선을 되돌려 본래 본연의 '미'를
꽃 피우거라

속세적인 '미'에
네 자신을 가두지 마라

'미'는 네 안에 있었고

그것을 외면 하였기에
너의 자아가 울고 있구나

'미'는 네 안에 있었다

'미'에서 생멸을 여여히 바라볼 때
나는 '나'로서 있게 되었다

네가 네 스스로를 보살피고
예뻐할 줄 알아야지

왜
타인에게 예쁨을
확인 받으려 하느냐

왜
에고적인 '미'에
네 스스로를 가두었느냐

'미'란 그런 것이 아니다

본연의 '미'를 자각하고
자신의 울타리에서 나왔으면 하구나

삶은
매 순간 '지금'의 반복이다

차분히 삼매에 머물러라

힘 빼고 순리대로 살아가라

비극 안에 희극이 있고
희극 안에 비극이 있다

관조하니 이 얼마나 즐거운가

그러하다
삶이 예술이었다

한평생
'미'를 관조하였다

개화와 낙화가 맞물리는 시점을
관조한다는 것이 얼마나 행운이란 말인가

그 행운의 주인공이
'나'라는 것이 얼마나 축복 이었나

그러하다, 그러하였다

중압감을 극복하라

내면을 장악하고 경영하는 자가
에고의 주인으로 우뚝 선다

묵묵히 수양하여라

에고의 주인이 되기를
내가 선택하였다

사유하는 자유인은

가히 매혹적이고 섹시하며
기품이 있다

네가 그러하다

지혜가 '미' 로구나

미인이 돼야지 왜 미인을
흉내 내려 하느냐

'미'는 네 안에 있단다

네가 가는 그 길이 행복하다면
별말 하지 않겠다

그러나

네가
'미'에 '미'를 덧붙이니

스스로 괴로워하고
'고'를 자초하지 않았느냐

너의 슬픔이
온전히 느껴지는구나

서로의 '미'는
'미'를 알아보며 그러하기에
상호간의 존중할 줄 안다

'미'로 다가가야지

에고의 탁함으로
'미'에 '미'를 덧붙이지 마라

유혹하지 말거라

'미'로서 다가가라

미인으로 우뚝 서라

그러하다

지혜가 '미' 로구나

지혜가 '미' 로구나

배움이란

배움은 사랑이자
온전한 행복이다

배움을 흉내 내지 말고
온전한 배움의 과정 속에서
충만한 행복을 느껴라

요리도 설거지까지가 요리이고
그림도 색칠까지가 그림이듯이

배움을 시작하면 마무리까지
꾸준하여야 한다

꽃이 피었으면 질줄 아는 것이
지혜이듯 말이다

배움과 익힘은 '동의어'이며
익힘과 체화가 스며들었을 때

'배움'이 삶에 자리잡게 된다

배우고 비워내라

4부 낙화

오늘의 꽃이 떨어지다

머그컵에 담겨있는
아메리카노

사랑스럽다

너무 사랑스러워

너를
잠시나마 바라보았다

잔잔한 리듬과
적당한 무게감을 가진

너에게
흠뻑 빠져버렸다

기분 좋은 그립감이
나의 손에 스며들고

아메리카노의 향기가

코의 후각세포
하나 하나 자극하였다

그 순간 매료되어
너에게 입맞춤한다

사랑이었다

나의 '원'

나의 바람이 있다면
삶의 여정을 마친 후에

나에게 배움을 주었던 스승들과
나란히 마주보며 웃고 싶구나

그 바람이야말로

오늘 하루의 표상을 바라보는

이유 이다

이 세상과 마지막 인사를 하기 전에

'나는 단지 성리(性理)의 광명(光明)함만을
따르고자 했을 뿐이라네' 라는 말로

마무리하기를 바랄 뿐이오

나의 '원'은 그러하고 그러하다네

삶에 클림트의 키스를 녹여내다

한 동작 한 동작 스티커를 떼어내서
본래의 자리에 차분히 얹어 놓았다

곁에는 따듯한 아메리카노가 있어주었고
너에게 슬며시 입맞춤하여 음미하였다

너를 드러내는 커피의 향에
온전히 나 자신을 맡겨본다

너와 내가 합일되는 순간
감미로운 노래가 내 귀를 적셔주었다

우아하였다

우아한 하루를
만끽한 오늘은 예술이구나

애인 (愛人)

상대방이
사랑 '애' 愛 로 다가올지라도
어질 '인' 仁 으로 바라보아라

또한

네가 상대방을
사랑 '애' 愛 로 바라볼지라도
어질 '인' 仁 으로 돌이키거라

네 스스로,
사랑하고 사랑하는
그 사람을 '인' 人 으로 사랑하여라

사랑 '애' 愛 와
어질 '인' 仁 의 만남

이곳에서

'애인' (愛仁)이 존재하며
'애인' (愛人)이 존립한다

돈오 접수

다시 원래의 자리로 돌아간다
그저 매몰된 어리석음을 자각하고
고요한 그 자리에 머무른다

갈고 닦음이 '공'함을 여여히 체감하기에
수양, 정진에 있어서 게으름이 없다네

말과 행위에 있어서
단정함이 묻어있어야 하며

사물을 바르게 바라보는 정견(正見)이
몸에 베어있어야 한다

호흡의 오고 감이 늘 차분하여
내면의 파도를 잔잔하며
여여하게 두어야 하니라

배움을 흉내 내지 말고 진정으로 배워서
그 안에서 즐거움을 얻는 자가 일류다

무엇이든지 자기 자신을 잃어버리고
어떠한 것에 사로잡혀 매몰된 채

스스로에게 그릇된 방향으로
채찍을 가하지 말라

심리적 자학은 매몰됨으로부터
시작 되니라

소유욕

소유욕을 경계하라
소유욕은 참으로 헛되고 헛되도다

지금 네 방에 있는 무수한 물건도
예전에 그리 바라고 욕망하던 대상이었다

그 중에 합리적으로 소비하는 물건이
몇이나 되느냐

소유 욕구에 사로잡히지 말고
그러한 욕구에서 자유로워져라

합리적인 소비를 하고

합리적인 사용을
지향하는 소비자가 되어라

그것이 자유인이다

소유욕에 잠식 되지 마라

그것 마저
'잠시 지나가는 소나기'일 뿐이니

배움이란 양 극단에 치우치지 않고
그 사이에서 중도(中道)를
지키기 위함이다

스스로에게 있어서
배움을 게을리하는 행동이란

인간됨을 스스로 내팽개치는
참으로 어리석은 행동이로다

스스로 호학(好學)을
게을리하지 않는 자는

천지에서 그에 상응하는
인연이 닿을 것이니

늘 수양하라

인연과보(因緣果報)에 따를 뿐이다

배움을 사랑하여

그에 걸맞는 품위를
온몸으로 체화시켜라

인간의 인간됨은
'꾸준한 수양에 기반된다'
할지어다

배우고 익히며 삶에 체화시켜
생사 안에서 승화시키는 것을

일류로 삼고자 하는 나로서는

선조의 말들을 그저 구닥다리 라며
무시하거나 외면하지 못하겠구나

그들이 실제로
어떠한 삶을 살아갔는지는
직접 볼 수 없으나

그래도 내가 그들의 말을
사랑하기 때문이다

단지
사랑하고 사랑하였으니

표상을 벗으로 삼으며

매 순간의 '미'를
여여히 누리는 자가 일류 아닌가

그것이 삶의 지혜 아닌가

지혜가 온몸으로 스며들어 느껴지는
부드러움은 감히 말하기가 어렵구나

이는 사랑,

사랑이었다

그저 오늘 해지기 전,

눈 앞에 펼쳐진
붉은 노을의 그러한 '미'속에

푹 잠겨보았을 뿐이라네

'미'란 철저한 절대 고독 속에서
처절한 자기독백 속에서 꽃 피워난다

나는 어찌하면
삶의 주권자가 될 수 있나

나는 어찌하면
삶의 주인으로 우뚝 설 수 있나

나는 어찌하면
삶의 군자로 존립할 수 있나

어떠한 타인의 시선에도
굴복하지 않는 자가 대장부다

흔들릴지라도 굴복하지 마라

철저해야 하고 처절해야 한다

나에게 삶이란 그러하였다

배움에 끝이 있는가

배움이 수행이라면
배움이란 나에게 진통제였다

사색하는 자가 곧 인간이다

자기 자신 내면의 어린아이도
장악하지 못하면서

타인을 두려는 오만하고 어리석은
생각과 에고에서 깨어나라

사람을 좋아한다는 말로
타인을 곁에 두어

자기 독백과 고독을 '미'로서
승화 시키지 않으려는 자는
'인간의 모습을 가장한 자'와 같다

'사색하는 자가 곧 인간이다'

사랑 사랑 사랑

사랑이란
나 자신과 하는 독백이다

철저한 고독 속에서
처절한 독백이 곧 사랑이요

'미'이니라

5부 연화

내일의 꽃을 맞이할
준비하다

바닐라 라떼 마끼야또

모든 유혹을 뿌리치고
너를 택하였다

적당한 그립감에 도취되어
한 모금 음미해본다

온갖 흔들림에도 불구하고
평정에 안착한 '나'를
너는 달콤하게 맞이하였다

추잡한 모든 유혹거리 보다
네가 아름답다

넌 이기적 욕망을 아름답게
승화시켰지 않았느냐

인생이라는 것이
예측할 수 없는 일들의 연속과 같은데

무엇을 그렇게 붙잡고
매몰되어 나 자신을 자학하였는가

참으로 여여 하오니

이러한 삶은 낭비되지 않으며
충만하여 풍족하도다

행복과 사랑은 네 안에 있었다

그러한 '미'를 자각하여 승화시킨
미인만이 미인을 알아 보느라

'인의예지'에 입각한 다양성이라면
그저 존중하라

그러한 발심이
본래 본연에 대한

'미'이다

고락의 반복작용이라는 파도를
여여히 관조하라

사람은 모두 다 다르다

틀린 것이 아니라 다른 것이며
기질의 특성이기에

'인 의 예 지'에 입각한 기질이라면
그저 존중하라

이렇다 저렇다 분별하여
타인에게 말을 하는 것은

선의라 할지라도
폭력일 수 있음을

자각하는 태도가
무지에서 깨어나는 첫걸음이다

나는 도저히
드러난 표상을 마주 대하고

인(人)에 어긋나는 언행(言行)을
자랑으로 여기지 못하겠소

어찌 그러할 수 있는지
그저 의문스러울 따름이라네

아, 이러함이

곧 군자의 울림인가

울지 말거라

너의 칠정(七情),
나를 비추는 거울이로다

미혹(迷惑)함에 불혹(不惑)하고
불혹(不惑)함에 미혹(迷惑)할 것 이오니

스스로에게 배움이란

배움의 과정 속에서 오는
본인의 의식 확장을 체험하는 것이다

그러하면서 타인을 이해하여 다름을
존중하여 다양성을 받아들이는 것이다

배움을 흉내 내어서는 아니 된다
본인의 삶을 낭비하는 것을
스스로 택하는 것이고

참된 앎이 아니라
'척'하는 자가 되게 된다

배움을 즐기는 자가 되어라

배움을 목적의 수단으로 삼지 말고
그 자체를 삶에서 체화시켜라

배우려는 자는 없고

배움을 흉내 내는 자가
득실거린다 한들

본인 스스로

배움을 게을리하지 마라

늘 집 안 밖으로
몸과 마음을 바로잡아 수신하여

자신의 성찰을
게을리 하지 않는 자가 되어라

아무도 보고 있지 않다고 하더라도
네 자신이 보고 있으며 자연이
주시하지 않느냐

스스로가 떳떳하여 기품이 유유히
흘러나오도록 하라

너는 그러한 자가 될 수 있다

배움이 본인의 인격적 성숙을
고취시켜주지 않는다면

그것을 참된 배움이라 할 수 있겠는가

계속해서 무상하게 흘러가는 현상 속에서
본질을 파악하여 묵묵히
배움의 길을 걷는 자가 되어라

배우려 하지 않고 배움을 흉내 내는 순간
그 자는 생명력을 잃어버리게 된다

그러하오니
본인의 성찰을 게을리하지 말지어다

중도

검약하되 결핍해서는 아니 된다
풍요롭되 권태로워서는 아니 된다

결핍과 권태를 초연하는 중도를
삶에 녹여내어 중용의 자세로 존립하라

결핍이 있는 자는 결핍으로서
세상을 바라볼 것이고

그러함이 없는 자는 여여함으로
충만을 느낄 것이니

어느 방향을 택할 것인지는
너에게 달려있다

양 극단에서 초월한
여여(如如)한 자가 되어라

그러한 사랑을 누릴 자격이

너에게 있었음을

다시 돌이켜 자각하라

나는 미인인가

희로애락을 분출하기에 급급한 자는
나약한 자이다

희로애락의 노예가 아닌
주인이 되어야 한다

인의예지를 바탕으로
희로애락을 에고라는 표상에
승화시키는 것이 '미'이다

그러한 자가 미인이며
미인으로 존재할 수 있다

과연 나는 미인인가
미를 승화시키는가

혹여
미를 흉내 내지는 않았는가

'미'

나에게 주어진 이 하루

지금의 시간을
'미'에 입각하여

경건하게 보내겠노라

단지

그러할 뿐이오

그러할 따름이라네

알음알이의 위협

무엇이든지 알음알이가 위험하다

배움이란

기본으로 돌아가서
성숙을 향해 나아가는
삶의 지평을 넓혀가는 과정이로다

배움과 인격적 성숙은
같이 가야 하는 존재다

나 자신은 그러한 이치를
아는 자가 되고 싶었다

나 자신의 배움이

알음알이가 되지 않아야 하니라

척하는 자가 되지 않기를 늘 경계하겠노라

먹고사니즘 주의 때문에
인격적 성숙을 고양시키는 행위를
게을리 해서는 아니 된다

우리는 무엇을 위하여 먹고 사는가
먹고 사는 것이 우선인가
인간으로 존재 하는 것이 우선인가

존재함으로써 먹고 사는가
먹고 삶으로 인해서 존재하는가

먹고 사는 순간에도 스스로 고양시키는
행위는 같이 가야 하나라

정견

남성은 먼저 여성을 사람으로 보아라
여성은 먼저 남성을 사람으로 보아라

사람을 사람으로 먼저보고
그 자의 성품을 정견 하여야 한다

서로가 서로의 살가죽에 미혹되지 않고
그 본질을 통찰할 수 있는 자는
진정으로 참된 자유에 다가갈 수 있다

살가죽에 미혹되지 말거라
깨어있어야 하니라

'락'과 '고'는

동전의 앞 뒷면과 같다 하였다

그러하오니 즉각 정견하라

남녀(男女)란

서로 이해하려 하면 할 수록
이해하기가 힘들어지고

남녀(男女)란

서로가 서로
이해하려는 마음을 내려놓아야

즉 본인 스스로 허심(虛心)하여야

이해가 가능할 지어다

스피노자는
내일 지구가 멸망하더라도

사과나무
한 그루 심겠다고
말하지 않았는가

나, 정태주
역시도 죽는 마지막 순간까지

배움과 성숙되어짐을 향해
스스로를 단련하고 고양시키노라

나의 언행(言行)이
법도(法度)에 어긋남이 없기를

그저 바랄 뿐이오

바랄 뿐이로다

그것이 곧

사단(四端)을 확충하는
길 일진대

내가 어찌 그러함의 길을
걷지 않겠는가

신독(愼獨)을 본질로 삼아야지
방편으로 삼고자 함은

안될 지어다

한유

자연이라는 표상을 벗삼아
글과 배움에 몰두하니 그 무엇 하나
부러울 것 없네

몸과 정신을 바로잡아
인간됨에 집중하니 모든 사물이
아름다워지네

아하, 그렇구나

내가 바라던 삶

그것은 한유에 입각한
삶 이었다네

방하착

그렇다,
그냥 하는 거다

머리에서 올라오는 모든 번뇌망상을
그 자리에서 단칼에 자각하고
베어버려라

그냥 하는 것이지,

방법을 핑게거리로 삼아
게으름을 피우는 에고의 '나'를
단칼에 베어버리고 내려놓아

지금 당장 그저 하라

거경(居敬)과 궁리(窮理)에 있어서
게으름이 없을 것

그러하고

그러할 것을

본인 스스로에게 바라고 바라노라

철학이란 대중이 논하는 일반적인
관념을 넘어서 사유하는 아름다움이다

스스로 통찰을 게을리하지 않고
사회 문화 경제 여러 분야에서
'미'를 자각하는 길이다

철학은 알음알이로 끝나면
그저 똥 닦는 휴지보다도 못하다

대중심리에 휩쓸리지 않으며
본질을 통찰한 채 묵묵히 자신의 길을
걸어갈 줄 아는 자라면

그 자가 철학 하는 자이다

나, 정태주는 그러한 자가 되고 싶다

스스로에게

배울 학(學)

물을 문(問)

게을리 하지 아니하는

이유란 무엇인가

부끄럽기 때문이로다

그 부끄러움을

자각(自覺)하기 때문이로다

락토프리 카페라떼

북적거림과 재잘거림이 한껏 어울러져
공존하는 사람들의 대화소리

그러한 소리가 감미로운 음악과
함께 동화되는 구나

눈앞의 풍경은 유동하고 있으며
날씨 또한 추위가 저물고
따스함으로 반기네

지금 이순간

너를 보며 너와 입을 맞추고
너를 통해 은은한 '미'에 잠겨보았다네

덕분에 오늘 하루
'미'에 합일 되는구나

한유로운 삶,
여여하며 은은한 아름다운 시간

그 순간

네가 있었다네

배움의 미덕

무엇을 '행'함에 있어
머뭇거림도 없고 조급함도 없네

그러하기에 배움에 있어서
거리낌이 없어졌네

자연도 이리 무상할진대
배움도 무상에 입각하여 단지
'행'할 뿐이라네

이러하니 참으로 즐겁구나
그렇구나, 참된 배움이 여기 있구나

나에게 '안다'함에 있어서,

나는 오로지
모를 뿐이라네

나는 오로지 나 자신이
'모름'을 알고 있음을 안다네

그러하기에 삶에서
배움과 수양을 어찌 게을리하겠는가

타인이 이렇다 저렇다 논한들

나는 그저 묵묵히
나의 길을 걸을 뿐이라네

학(學)을 곁에 두어
수신(修身)하여 신독(愼獨)하오니

결코

나 자신한테
거만할 수 없구나

그러한 나 자신이
부끄럽기 때문이로다

나 자신은
나의 길을 묵묵히 걸어갈 뿐

그저 그러할 뿐

자만이라는 적

나의 인생에 있어 최고의 적은
바로 자만이었다

자만은 나 자신이 '알고 있다'는
'상'에 도취되게끔 하며

배움을 게을리하게끔 하지 않았던가

자만은 유동하는
자연의 이치를 위배하며

스스로를 고립시켜
양극단에 치우치게끔 한다

'내가 안다'할 때, 그러할 때를
필시 경계 해야 하며

'상'에 대한 집착을 단지
내려놓고 다시 바라보아야 하니라

지행합일

나의 배움과 수양이
실질적인 '행'함에 있어
'미'에 어긋남이 없기를

'미'에 입각하여
하루를 여여히 살아가니
나 자신이 괴롭지 않구나

그 이후로는

내면의 한 생각을
'미'에 입각하도록 성찰하였다

단지 모를 뿐,
나 자신이 최고로 여기는 앎은

내가 나 자신이
모를 뿐이라는 것을
아는 것이라네

나 자신은

나의 말을 마구잡이로
배설하는 사람보다는

남의 말을 경청할 줄 아는
성숙한 자가 되고 싶구나

또한

그러한 바램을 구현하기 위하여

재야에서 수신(修身)하고

또 수신(修身)하겠노라

단지 그러할 뿐이라네

'미'에 입각한 배움

현재를 기점 삼아
위로는 지혜를 배우며
아래로는 지식을 배우라

허나 배움에는 위 아래가 없으니
단지 배울 뿐이요, 배울 뿐이로다

안다 하는 것은 오로지 모름을 알진대
어찌 배움을 게을리하겠는가

배움을 게을리하지 않으며
꾸준히 수양하는 미덕을 갖춘 자는

그 자체로 미인이로다

성리(性理)의 학문에서
쉰다 함이 어떠한 말인지

이제서야
진심으로 체감이 되는 구나

아, 이러한 기쁨을
어떠한 말로 표현하리오

아, 이러한 기분을
어떠한 정서로 표현하리오

그저

광명(光明)

광명(光明)이라네

스스로에게 전하는 한마디

'더 큰 행복을 위하여
작은 행복은 내려놓는다'
하셨다

여기서 설하는 더 큰 행복이
내가 논하고자 하였던
'미'이다

미인이 되고자 한다면
속세적인 '미'부터 내려놓아라

현 세태는 마음을 갈고 닦지 않고
살가죽을 갈고 닦는구나

그러함에도 불구하고

네 자신은 휘둘리지 않으며
다시 갈고 닦음을 꾸준히 하라

자신의 준칙에 입각하여
타인에게 휘둘리지 않고

본인의 길을 스스로 선택해
묵묵히 걷는 자가 대장부이다

그것이 낭만이요, 그러한 자가
군자 아니겠는가

매 순간

리(理)와 함께 하겠노라

맺음말

책 <지혜 말인가 [개정판]> 은
저자 자신이 자각한 '미'의 순간을 독백의 글로
정리한 책이다.

저자 자신에게 '미'란 무엇이라
쉽게 형용할 수 없는 의미를 지닌다.

'사람이 사람으로 존립한다'함은 쉽지 않은 길이다.
허나 우리는 이 길을 가고자 해야 한다고
저자는 말하고 싶다.

사람의 형상만 띤 채 살아가는 자와
온전한 사람으로서 존립하여 살아가는 자가
공존하는 것이 이 세상이다.

그러함을 자각한 채 사람으로 있고자
배움과 수양을 게을리하지 않는 것이

'인 의 예 지'
인(人)의 시작점이다.

이로서
대인과 소인의 구분은 어렵지 않다.

삶과 세상을 바라보는 식견에
따른 것이니.

누군가 나에게 '미'가 무엇이오, 라고 묻는다면
'미'는 인의예지 입니다 라고 할 것입니다.

왜 인의예지가 '미'란 말이오, 라고 묻는다면
먼저 자연을 둘러보라 하겠습니다.

자연은 지수화풍으로 구성되어 있으며
계절은 춘하추동으로 흘러가고 있습니다.

우리의 삶에서
일정한 주기에 따라 춘하추동의 흘러감이
이어집니다.

그 반복된 주기에 따라 신체는 생로병사에
입각하여 흘러갑니다.

이 모든 것을 관조할 줄 아는 마음이
'미'입니다.

그러한 마음이 인의예지로 유동한다면
저, 정태주는 '미'를 인의예지라 하고 싶습니다.

알게 모르게 자연은 우리에게 많은 것을
말해주고 있습니다.

자연 만물 이치에 맞게 생각하고
이치에 맞게 말을 하며
이치에 맞게 삶을 순응하는 자가 있다면

그 자가 미인입니다.

인의예지에 입각하여 희로애락애오욕을
다스릴 줄 아는 자가 미인입니다.

그렇습니다.
적어도 저자 정태주에게는
그러한 자가 미인입니다.

이 책을 마지막까지 읽어주신 독자분들에게
감사의 말씀 드립니다.

지혜 말인가 [개정판]

발 행 | 2024년 5월 31일

저 자 | 정태주

펴낸이 | 한건희

펴낸곳 | 주식회사 부크크

출판사등록 | 2014.07.15.(제2014-16호)

주 소 | 서울특별시 금천구 가산디지털1로 119 SK트윈타워 A동 305호

전 화 | 1670-8316

이메일 | info@bookk.co.kr

ISBN | 979-11-410-8765-4

www.bookk.co.kr